Einstern

Mathematik für Grundschulkinder

4

Themenheft 6

Projekte zu Sachsituationen, mathematischen Rätseln und Knobelaufgaben

Erarbeitet von Roland Bauer und Jutta Maurach

In Zusammenarbeit mit der Cornelsen Redaktion Grundschule

Cornelsen

Einstern 4

Mathematik für Grundschulkinder
Themenheft 6
Projekte zu
Sachsituationen,
mathematischen Rätseln
und Knobelaufgaben

Erarbeitet von:	Roland Bauer, Jutta Maurach
Fachliche Beratung:	Prof'in Dr. Silvia Wessolowski
Fachliche Beratung exekutive Funktionen:	Dr. Sabine Kubesch, INSTITUT BILDUNG plus, im Auftrag des ZNL TransferZentrum für Neurowissenschaften und Lernen, Ulm
Redaktion:	Peter Groß, Agnetha Heidtmann, Uwe Kugenbuch
Illustration:	Yo Rühmer
Umschlaggestaltung:	Cornelia Gründer, agentur corngreen, Leipzig
Layout und technische Umsetzung:	lernsatz.de

Bildnachweis
5 Fotolia/nzweeble **6 links** Fotolia/Matthias Krüttgen **6 Mitte** Fotolia/Alex-Lite **6 rechts** Fotolia/lapis2380 **8, 9** Mit freundlicher Unterstützung des Erlebnis-Zoos Hannover, Stand 09.2016
11 o. rechts Fotolia/photogallet **11 M. links** Fotolia/davemhuntphoto **11 unten** Fotolia/nuruddean
12 Fotolia/Geza Farkas **14** PROFILFOTO Marek Lange **18** Fotolia/Christian Maurer **26** akg-images
27 oben akg-images **27 unten** akg-images/Imagno **28** bpk/Museumslandschaft Hessen Kassel
32 o. links akg-images/Erich Lessing **32 o. Mitte** akg-images

www.cornelsen.de

1. Auflage, 1. Druck 2017

Alle Drucke dieser Auflage sind inhaltlich unverändert
und können im Unterricht nebeneinander verwendet werden.

© 2017 Cornelsen Verlag GmbH, Berlin

Das Werk und seine Teile sind urheberrechtlich geschützt.
Jede Nutzung in anderen als den gesetzlich zugelassenen Fällen bedarf
der vorherigen schriftlichen Einwilligung des Verlages.
Hinweis zu den §§ 46, 52a UrhG: Weder das Werk noch seine Teile dürfen ohne eine
solche Einwilligung eingescannt und in ein Netzwerk eingestellt oder sonst öffentlich
zugänglich gemacht werden.
Dies gilt auch für Intranets von Schulen und sonstigen Bildungseinrichtungen.

Druck: Parzeller print & media GmbH & Co. KG, Fulda

ISBN 978-3-06-083703-8
ISBN 978-3-06-081948-5 (E-Book)

PEFC zertifiziert
Dieses Produkt stammt aus nachhaltig
bewirtschafteten Wäldern und kontrollierten
Quellen.

www.pefc.de
PEFC/04-31-1308

Inhaltsverzeichnis

Sachsituationen

Informationen auswerten

- Überlegungen zur Hundehaltung anstellen 5
- Ein Aquarium einrichten 1 6
- Ein Aquarium einrichten 2 7
- Einen Zoobesuch planen 1 8
- Einen Zoobesuch planen 2 9
- Daten zu Zootieren auswerten 1 10
- Daten zu Zootieren auswerten 2 11
- Den Traum von einem eigenen Pferd träumen 12
- Artikelnummern und GTIN kennenlernen 1 13
- Artikelnummern und GTIN kennenlernen 2 14
- Besondere Artikelnummern kennenlernen 15
- Versteckten Zucker finden 1 16
- Versteckten Zucker finden 2 17
- Papierverbrauch und Altpapierverwertung betrachten 1 18
- Papierverbrauch und Altpapierverwertung betrachten 2 19

Lösungen finden

- Einen Wandertag planen 1 20
- Einen Wandertag planen 2 21
- Durchschnittliche Klassengrößen bestimmen 22
- Durchschnittswerte berechnen 23
- Wegstrecken und Entfernungen bestimmen 24
- Altersangaben berechnen 25

Rätseln und knobeln

Auf den Spuren berühmter Personen

- Rechnen und denken wie berühmte Mathematiker 1 26
- Rechnen und denken wie berühmte Mathematiker 2 27
- Multiplizieren mit der Gittermethode 28
- Ein ägyptisches Rechenverfahren kennenlernen 29
- Magische Quadrate kennenlernen 30
- Mit magischen Quadraten experimentieren 31
- Ein bekanntes magisches Quadrat untersuchen 32
- Zahlenfolgen erkennen und fortsetzen 33

Zahlenmauern und Rechenfenster untersuchen

- Zahlenmauern untersuchen 34
- Rechenfenster untersuchen 35

Knobelaufgaben

- Passende Ziffern ermitteln 36
- Streichholzknobeleien lösen 37
- Figuren ohne Absetzen zeichnen 38
- Tierrätsel lösen 39

Das 4. Schuljahr geht zu Ende

- Einstern verabschiedet sich 40

In diesem Heft kannst du aus vielen Sachsituationen auswählen, Daten auswerten oder dich mit mathematischen Rätseln und Knobelaufgaben beschäftigen.

Überlegungen zur Hundehaltung anstellen

Ein Hund ist kein Geburtstags- oder Weihnachtsgeschenk!

Ein Hund kostet im Tierheim zwischen 100 € und 450 €. Der Züchter verlangt für einen jungen Rassehund zwischen 600 € und 2 500 €.

Für einen Hund muss man viel Zeit haben. Erkundige dich im Internet.

Fast immer muss für einen Hund Hundesteuer bezahlt werden. Die Gemeinde oder Stadt legt den Preis fest.

Die Grundausstattung für die Hundehaltung:
- Decke oder Hundekorb (Decke ab 20 €, Korb ab 30 €)
- zwei Leinen (je 15 € bis 50 €)
- zwei Näpfe (je 5 € bis 20 €)
- ein Halsband (10 € bis 40 €)
- eine Zeckenzange (5 € bis 10 €)

Die Futterkosten betragen je nach Hundegröße und Futtersorte zwischen 15 € und 80 € im Monat.

3- bis 4-mal am Tag Gassi gehen

Wurmkuren und Zeckenmittel sind nötig und von der Hundegröße abhängig. Kosten für einen mittelgroßen Hund: etwa 130 € im Jahr

Jedes Bundesland hat ein eigenes Landeshundegesetz oder eine Landeshundeverordnung. Im Internet kannst du den Link zu deinem Bundesland finden.

Jeder Hund benötigt jährliche Impfungen. Gesamtkosten: 50 € bis 100 €

Eine Haftpflichtversicherung muss unbedingt sein. Kosten: 30 € bis 70 € im Jahr

Ein junger Hund sollte einen Grundkurs in der Hundeschule machen. Dieser kostet je nach Gruppengröße 150 € bis 400 €.

Weitere Informationen findest du:
- in der Bücherei
- im Internet

❶ Besprich deine Überlegungen zur Hundeanschaffung mit einem anderen Kind.

❷ Über die Internetseite deines Wohnortes kannst du die Hundesteuer ermitteln.

❸ Notiere mögliche Fragen, Rechnungen und Antworten. Du kannst aus diesen Informationen auch eine Präsentation zum Thema „Hundehaltung" vorbereiten (Plakat, Folien …).

∗ entnehmen relevante Informationen und formulieren dazu mathematische Fragestellungen
∗ erweitern und verkürzen Sachsituationen, um Zusammenhänge zu erfassen und zu erklären, und beschaffen sich ggf. geeignete, noch fehlende Informationen

Ein Aquarium einrichten 1

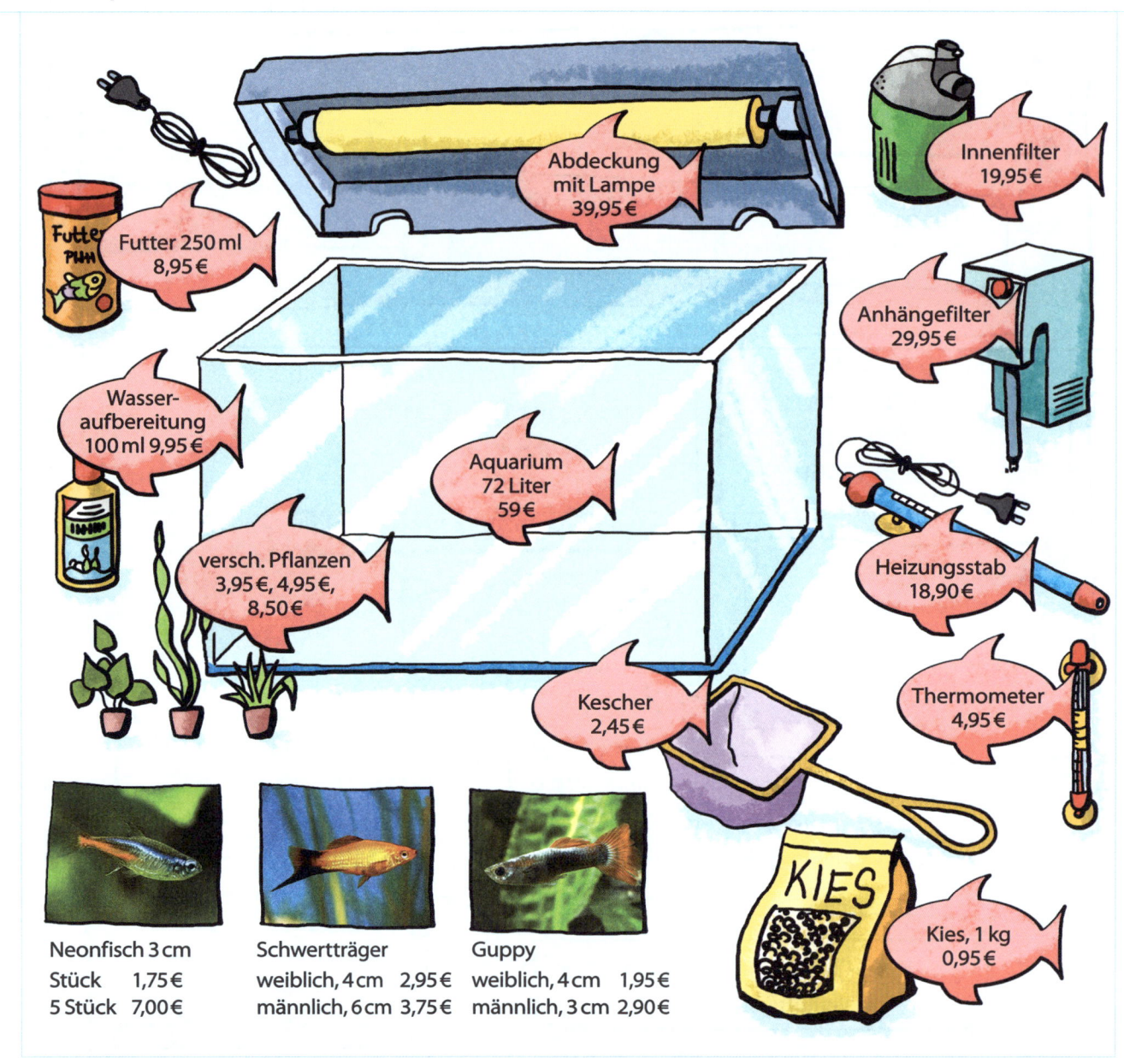

- Abdeckung mit Lampe 39,95 €
- Innenfilter 19,95 €
- Futter 250 ml 8,95 €
- Anhängefilter 29,95 €
- Wasseraufbereitung 100 ml 9,95 €
- Aquarium 72 Liter 59 €
- Heizungsstab 18,90 €
- versch. Pflanzen 3,95 €, 4,95 €, 8,50 €
- Kescher 2,45 €
- Thermometer 4,95 €
- Kies, 1 kg 0,95 €

Neonfisch 3 cm
Stück 1,75 €
5 Stück 7,00 €

Schwertträger
weiblich, 4 cm 2,95 €
männlich, 6 cm 3,75 €

Guppy
weiblich, 4 cm 1,95 €
männlich, 3 cm 2,90 €

Ein dauerhaft betriebenes Aquarium sollte mindestens 60 l Wasser beinhalten.

Aquarium einrichten und bepflanzen, auf 15 l Wasser etwa eine Pflanze. Erst nach etwa drei Wochen Fische einsetzen.

Beim ersten Einrichten Wasseraufbereitung verwenden, 1 ml für 1 l Wasser.

Einmal monatlich etwa den 4. Teil des Wassers erneuern.

1 cm Fisch benötigt zum Wohlfühlen etwa 1 l Wasser.

* entnehmen relevante Informationen aus verschiedenen Quellen

Ein Aquarium einrichten 2

Ein Aquarium neu einzurichten ist aber teuer.

Wir sollten jedem Fisch vier Liter Wasser geben.

Wir nehmen nur Neonfische, die leuchten so schön!

Es wäre schön, wenn für jedes Kind ein Fisch im Aquarium wäre.

Pflanzen
3 · 3,95 €
2 · 4,95 €
1 · 8,50 €

Ich spende 7 € für fünf Neonfische. Dann benötigen wir schon mindestens 15 l Wasser.

Wir sollten einen Innenfilter nehmen, weil er viel billiger ist als ein Anhängefilter.

Ein Anhängefilter ist viel praktischer, sagt mein Opa. Er spendet uns deshalb den Differenzbetrag.

In unserer Klassenkasse ist noch so viel Geld, dass wir ein Aquarium mit Innenfilter und Lampe kaufen können.

Wie viele Fische dürfen wir eigentlich höchstens einsetzen?

1 Finde zu den Überlegungen der Kinder passende Rechnungen und Antworten.

Seite 7 Aufgabe 1

2 Plane gemeinsam mit anderen Kindern die Einrichtung eines Aquariums. Überlegt selbst, was ihr benötigt und was ihr beachten müsst.

Seite 7 Aufgabe 2

★ übersetzen Informationen der Lebenswirklichkeit in die Sprache der Mathematik
★ finden mathematische Lösungen zu Sachsituationen

Einen Zoobesuch planen 1

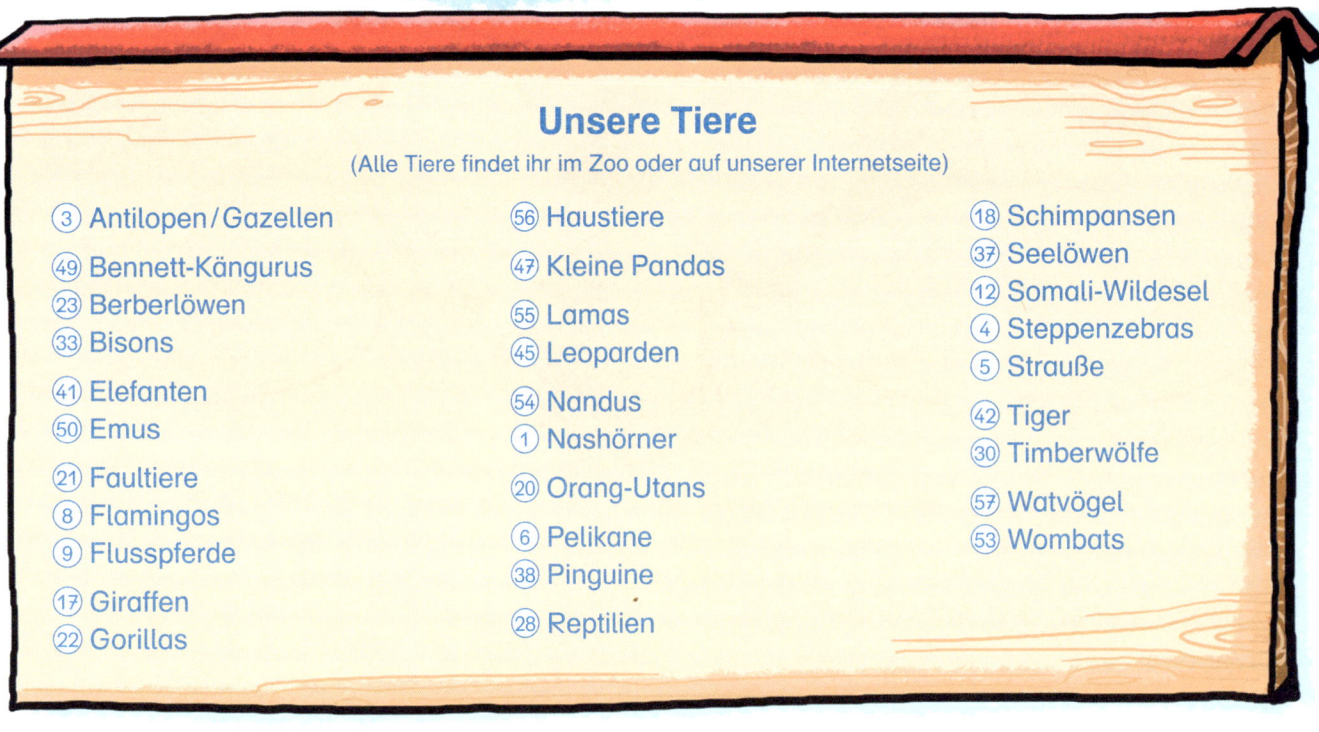

Erlebnis-Zoo Hannover

WIR ACKERN FÜR SIE! Hier entsteht eine neue Attraktion!

NEU: STREICHELWIESE SAMBESI-KRAAL ab Sommer 2016

Shows
- Ⓐ Showarena
- Ⓑ Yukon Stadium
- Ⓒ Meyers Hof

Unsere Tiere
(Alle Tiere findet ihr im Zoo oder auf unserer Internetseite)

- ③ Antilopen/Gazellen
- ㊾ Bennett-Kängurus
- ㉓ Berberlöwen
- ㉝ Bisons
- ㊶ Elefanten
- ㊾ Emus
- ㉑ Faultiere
- ⑧ Flamingos
- ⑨ Flusspferde
- ⑰ Giraffen
- ㉒ Gorillas
- ㊳ Haustiere
- ㊷ Kleine Pandas
- ㊾ Lamas
- ㊺ Leoparden
- ㊾ Nandus
- ① Nashörner
- ⑳ Orang-Utans
- ⑥ Pelikane
- ㊳ Pinguine
- ㉘ Reptilien
- ⑱ Schimpansen
- ㊲ Seelöwen
- ⑫ Somali-Wildesel
- ④ Steppenzebras
- ⑤ Strauße
- ㊷ Tiger
- ㉚ Timberwölfe
- ㊼ Watvögel
- ㊾ Wombats

1 Suche dir ein anderes Kind. Beschreibt euch gegenseitig Wege im Zoo, zum Beispiel von den Nashörnern ① zu den Seelöwen ㊲, von … zu …

*entnehmen für die Lösung eines Sachproblems relevante Informationen

Einen Zoobesuch planen 2

Der Zoo Hannover wurde 1865 gegründet.

Ein Besucher kann im Zoo fast 200 verschiedene Tierarten sehen.

Im Zoo leben über 2 000 Tiere.

Die Fläche des Zoos beträgt 220 000 m².

Um Tiere und Besucher kümmern sich über 500 Mitarbeiter.

Shows

Zeit	Show	Ort
11:00	Schnabel, Schuppe & Co.	Showarena
12:00	Tiere als Lebenskünstler	Showarena
13:00	Robbenshow Eine Reise durch die Zeit	Yukon Stadium
14:30	Tiere als Überflieger	Showarena
15:30	Buer Meyer un dat leve Veeh	Meyers Hof
16:00	Robbenshow Eine Reise durch die Zeit	Yukon Stadium

Eintrittspreise

Tageskarten

Erwachsene (ab 25 Jahre):	25,00 €
junge Erwachsene (17–24 Jahre):	19,00 €
Kinder (6–16 Jahre):	17,00 €
Kinder (3–5 Jahre):	13,50 €
Hunde:	9,00 €

Schulklassen (pro Kind)

bis einschließlich 4. Klasse:	8,50 €
ab 5. Klasse:	12,00 €

Jahreskarten

Erwachsene:	83,00 €
Kinder (3–17 Jahre):	60,00 €
Hunde:	55,00 €
Familie:	174,00 €

(zwei Erwachsene und alle zur Familie gehörenden Kinder)

1. Suche dir ein Partnerkind. Stellt euch gegenseitig Fragen zu einem Zoobesuch in Hannover und beantwort sie.

2. Besorgt euch Informationen über einen Zoo in eurer Nähe (Prospekt oder Internet). Plant gemeinsam einen Zoobesuch mit zeitlichem Ablauf und anfallenden Kosten.

* entnehmen relevante Informationen aus verschiedenen Quellen, übersetzen diese in die Sprache der Mathematik und formulieren dazu mathematische Fragestellungen

Daten zu Zootieren auswerten 1

Daten zu einigen Zootieren

	Gewicht etwa	Alter bis zu	Geschwindigkeit bis zu
Adler	6 kg	45 Jahre	300 km/h*
Braunbär	780 kg	30 Jahre	50 km/h
Elefant	6 t	69 Jahre	35 km/h
Erdmännchen	1 kg	12 Jahre	25 km/h
Faultier	8 kg	40 Jahre	270 m/h
Gazelle	20 kg	18 Jahre	60 km/h
Gepard	65 kg	15 Jahre	120 km/h
Giraffe	1 900 kg	25 Jahre	50 km/h
Gorilla	210 kg	60 Jahre	35 km/h
Leopard	60 kg	20 Jahre	100 km/h
Lisztaffe	450 g	13 Jahre	25 km/h
Löwe	260 kg	20 Jahre	75 km/h
Mäusebussard	1 400 g	25 Jahre	120 km/h
Nashorn	2 000 kg	40 Jahre	50 km/h
Orang-Utan	90 kg	50 Jahre	20 km/h
Pelikan	15 kg	60 Jahre	56 km/h
Schimpanse	70 kg	60 Jahre	35 km/h
Sinai-Stachelmaus	100 g	4 Jahre	10 km/h
Tiger	280 kg	25 Jahre	60 km/h
Uhu	4 200 g	75 Jahre	60 km/h
Walross	1 600 kg	40 Jahre	10 km/h
Wolf	80 kg	20 Jahre	60 km/h
Zebra	320 kg	28 Jahre	65 km/h

*im Sturzflug

① Du kannst zu jedem Tier eine Quartettkarte oder eine Quizkarte gestalten.
Spiele dein Spiel mit anderen Kindern.

Wenn du Angaben zu deinen Lieblingstieren suchst, schau in Büchern oder im Internet nach.

* entnehmen für die Lösung eines Sachproblems relevante Informationen
* erfinden Aufgaben und Fragestellungen
* entwickeln ein Spiel

Daten zu Zootieren auswerten 2

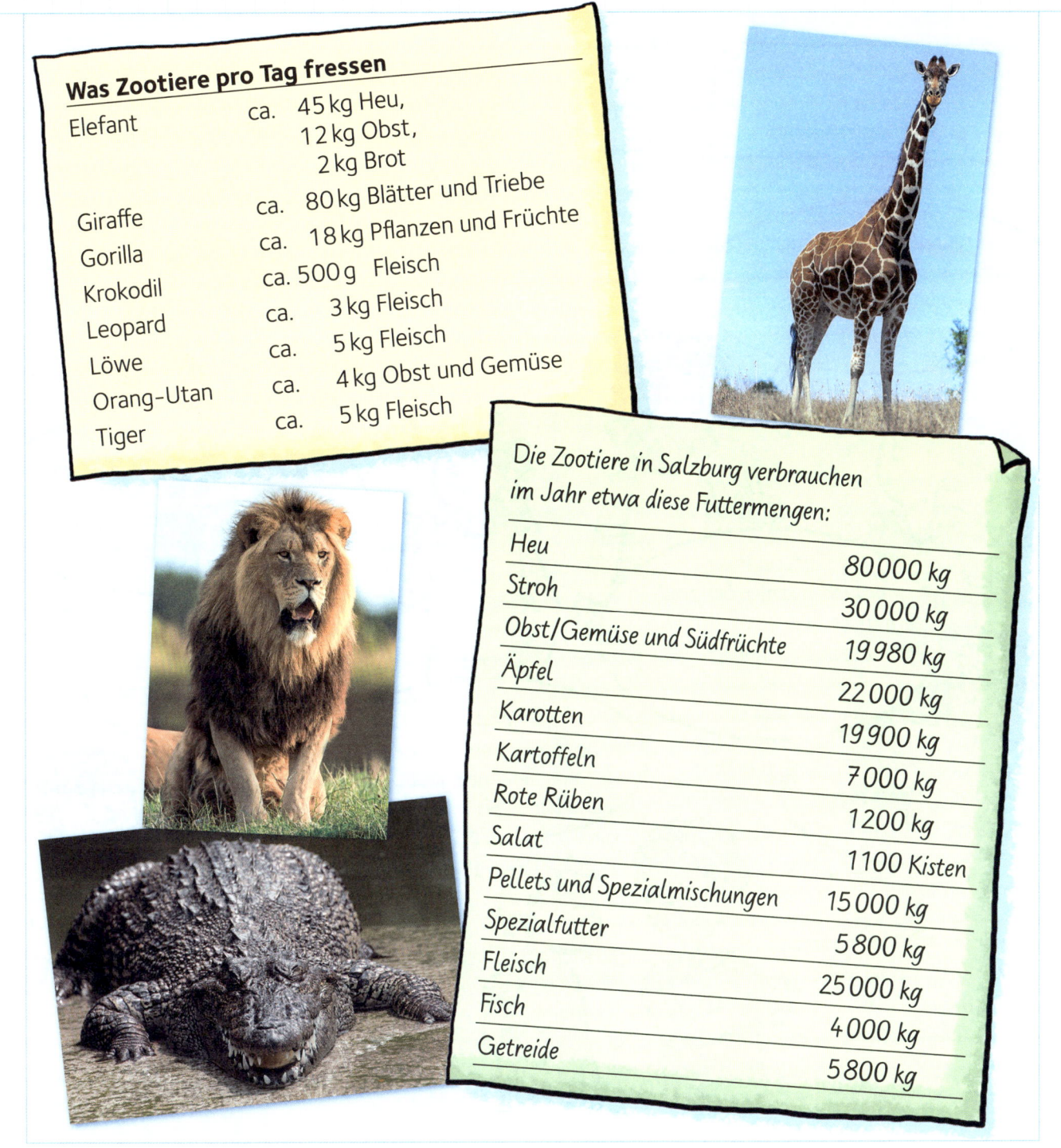

Was Zootiere pro Tag fressen

Elefant	ca. 45 kg Heu, 12 kg Obst, 2 kg Brot
Giraffe	ca. 80 kg Blätter und Triebe
Gorilla	ca. 18 kg Pflanzen und Früchte
Krokodil	ca. 500 g Fleisch
Leopard	ca. 3 kg Fleisch
Löwe	ca. 5 kg Fleisch
Orang-Utan	ca. 4 kg Obst und Gemüse
Tiger	ca. 5 kg Fleisch

Die Zootiere in Salzburg verbrauchen im Jahr etwa diese Futtermengen:

Heu	80 000 kg
Stroh	30 000 kg
Obst/Gemüse und Südfrüchte	19 980 kg
Äpfel	22 000 kg
Karotten	19 900 kg
Kartoffeln	7 000 kg
Rote Rüben	1 200 kg
Salat	1 100 Kisten
Pellets und Spezialmischungen	15 000 kg
Spezialfutter	5 800 kg
Fleisch	25 000 kg
Fisch	4 000 kg
Getreide	5 800 kg

1 Vergleiche die Mengenangaben. Stelle Überlegungen an, zum Beispiel: Wie viele Elefanten könnten in Salzburg mit dem Heu gefüttert werden? Wie viele Raubtiere könnten im Salzburger Zoo leben?

2 Im Internet findest du weitere interessante Daten und Zahlen über den Salzburger Zoo.

3 Du kannst aus diesen und den Informationen auf Seite 10 auch eine Präsentation zum Thema „Zootiere" vorbereiten (Plakate, Folien …).

★ vergleichen Daten und beschreiben mathematische Zusammenhänge
★ nutzen das Internet als Informationsquelle
★ präsentieren Arbeitsergebnisse in angemessener Form

Den Traum von einem eigenen Pferd träumen

> Ein Pferd ist kein Hobby, ein Pferd ist ein Freund und ein Lebensgefühl.

> Informationen aus dem Internet. Suchbegriff: Pferdehaltung

> Ein gutes Freizeitpferd (zum Beispiel Haflinger) kostet ab 2 500 €. Nach oben hin sind dem Preis keine Grenzen gesetzt.

- Etwa alle acht Wochen braucht man einen Schmied. Das Beschlagen von vier Hufen kostet ungefähr 120 €.
- Auch wenn das Pferd gesund ist, braucht es regelmäßig einen Tierarzt. Er kostet mindestens 500 € im Jahr.
- Eine Wurmkur kostet etwa 15 €. Mindestens zweimal im Jahr muss das Pferd geimpft werden. Eine Impfung kostet ca. 40 €.
- Barfußgänger brauchen keinen Schmied, müssen aber etwa alle zwei Monate ausgeschnitten werden, das kostet jeweils etwa 30 €.
- Ein Stall wollte inklusive Tierarzt sogar 700 € im Monat.
- Ein Offenstallplatz, bei dem man alles selbst machen muss, kostet 100 € bis 250 €.
- Ich habe mich auch erkundigt. Es ist insgesamt ganz schön teuer.

Stallmiete im Monat ca. 200 € – 400 €

Stall: 12 · 300 €
Arzt: 2 · 40 € + 4 · 15 €
Schmied: 6 · 120 €
Versicherung: 120 €

1 Informiere dich über Begriffe, die du nicht kennst.

2 Sammle in Büchern, Zeitschriften oder im Internet weitere Informationen zum Thema „Pferdehaltung". Stelle alle wichtigen Informationen übersichtlich zusammen. Du kannst auch mit anderen Kindern ein Plakat gestalten und eine Präsentation für deine Klasse vorbereiten.

★ entnehmen relevante Informationen aus verschiedenen Quellen
★ sammeln und vergleichen Daten aus ihrer unmittelbaren Lebenswelt und stellen sie strukturiert dar

Artikelnummern und GTIN kennenlernen 1

Die GTIN

Fast alle Artikel, die du kaufen kannst, sind mit einem Strichcode und mit einer Nummer aus 13 Ziffern gekennzeichnet. Diese Nummer heißt GTIN.
Die Abkürzung steht für „**G**lobal **T**rade **I**tem **N**umber" (Globale Artikelnummer).

Der Strichcode ist maschinenlesbar und kann vom Laserscanner an der Kasse „verstanden" und decodiert werden.

Die ersten zwei oder drei Stellen bilden die Ländernummer. Man kann daraus ablesen, in welchem Land der Hersteller eines Produktes registriert ist.

Die nächsten vier oder fünf Stellen zeigen die Betriebsnummer. Hier erfährt man den Namen des Herstellers. Danach kommt die Artikelnummer, die aus fünf Stellen besteht.

Die letzte Ziffer ist die Prüfziffer.

Ländernummer		Land
2 Stellen	3 Stellen	
00 – 09	000 – 139	USA, Kanada
30 – 37	300 – 379	Frankreich
40 – 44	400 – 440	Deutschland
49	450 – 459 490 – 499	Japan
50	500 – 509	Großbritannien
54	540 – 549	Belgien
56	560	Portugal
57	570 – 579	Dänemark
64	640 – 649	Finnland
70	700 – 709	Norwegen
73	730 – 739	Schweden
76	760 – 769	Schweiz
80 – 81	800 – 839	Italien
84	840 – 849	Spanien
87	870 – 879	Niederlande
90 – 91	900 – 919	Österreich
93	930 – 939	Australien

4 104060 029219

- Prüfziffer
- Artikelnummer
- Betriebsnummer
- Ländernummer

Diese Nummer bedeutet:
Der Artikel wurde in Deutschland hergestellt.
Alle anderen Angaben kannst du im Internet abfragen.
Tippe die GTIN ein und klicke auf „Suchen".

* entnehmen relevante Informationen aus verschiedenen Quellen

Artikelnummern und GTIN kennenlernen 2

Die Prüfziffer

Mithilfe der Prüfziffer registriert der Scanner an der Kasse, ob er richtig liest. Er erkennt den Strichcode zum Beispiel nicht, wenn dieser beschädigt oder verschmutzt ist. Wenn der Scanner piepst, ergibt seine Berechnung die richtige Prüfziffer.

Zur Berechnung der Prüfziffer werden die Ziffern der GTIN von rechts beginnend abwechselnd mit 3 und 1 multipliziert und dann addiert.
Man beginnt mit der zweiten Zahl von rechts.
Die Prüfziffer ist dann die Ergänzung der Summe zur nächsten Zehnerzahl.

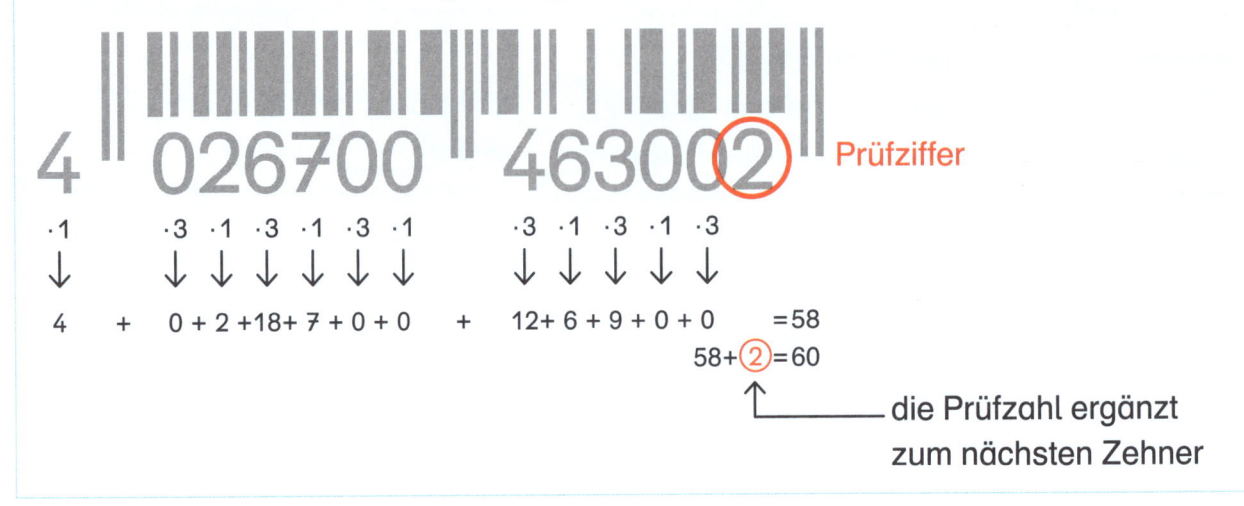

4 026700 463002 — Prüfziffer

·1   ·3 ·1 ·3 ·1 ·3 ·1   ·3 ·1 ·3 ·1 ·3

4 + 0 + 2 +18+ 7 + 0 + 0 + 12+ 6 + 9 + 0 + 0 = 58
58 + ②= 60

die Prüfzahl ergänzt zum nächsten Zehner

1

4 046800 110125
8 076800 195057
7 613030 764571

a) Überprüfe die GTIN mithilfe der Prüfziffer.
b) Finde heraus, aus welchen Ländern die Produkte kommen.

Seite 14 Aufgabe 1
a) …

2 Suche im Internet nach Informationen zu verschiedenen Produkten. Tippe dazu die Zahlenfolge der GTIN ein und klicke auf „Suchen".

* nutzen Sachinformationen zur eigenen Lösungsfindung
* übertragen ihre Kenntnisse auf erweiterte Sachverhalte

Besondere Artikelnummern kennenlernen

1 Artikelnummern in Supermärkten

Neben den normalen GTIN-Codes haben Supermärkte oft noch besondere Nummern, zum Beispiel an der Obsttheke.
Hier ist im Code oft auch der Preis enthalten:

Die ersten drei Ziffern kann der Supermarkt selbst festlegen, die Ländernummer entfällt.

Die nächsten vier Stellen geben die Artikelnummer an.

Die folgenden fünf Stellen bezeichnen Menge, Gewicht oder Preis.

Die letzte Ziffer ist die Prüfziffer.

Viele Lebensmitteldiscounter verwenden außerdem für Eigenmarken nur eine 8-stellige, geschäftsinterne Artikelnummer.

Besorge dir Etiketten aus einem Supermarkt und versuche, sie zu entschlüsseln.

2 Die ISBN (Internationale Standardbuchnummer)

Auch Bücher haben Nummern zur Kennzeichnung: die ISBN.

Eine ISBN hat 13 Stellen, früher waren es nur 10.
Vor der Ländernummer steht 978 oder 979 als Kennzeichen dafür, dass es sich um ein Buch handelt.

Die nächste Zahl ist die Ländernummer.

Es folgt eine unterschiedlich lange Kennzahl für den Verlag (zum Beispiel 06 für den Cornelsen Verlag).

Danach folgt die Titelnummer des Buches.

Die letzte Ziffer ist die Prüfziffer.

a) Betrachte deine Bücher. Findest du unterschiedliche Verlagsnummern?

b) Wenn du noch alte, 10-stellige ISBN-Nummern findest, wandle sie in die neue, 13-stellige ISBN um. Die Prüfziffer ändert sich dann.

Nr.	Land
0 oder 1	englischsprachiger Raum (England, USA ...)
2	französischsprachiger Raum
3	deutschsprachiger Raum
4	Japan
5	russischsprachiger Raum
84	Spanien
975	Türkei

*sammeln und vergleichen Daten aus ihrer unmittelbaren Lebenswelt und stellen sie strukturiert dar

Versteckten Zucker finden 1

1 Nur wenige Menschen essen Würfelzucker pur. Man verwendet ihn meist zum Süßen von Getränken wie Tee oder Kaffee.

In Lebensmitteln, vor allem in Süßigkeiten, ist aber oft auch Zucker enthalten, den du nicht siehst.

Vor allem Ernährungsberater und Zahnärzte geben Hinweise auf den Zuckergehalt von Lebensmitteln. Betrachte die Liste und überlege, wie viel Zucker du an einem „süßen Tag" zu dir nimmst.

Überlege, wie viele Würfelzucker das ungefähr sind.

Ein Stück Würfelzucker wiegt 3 g.

Lebensmittel	Zucker ca.
1 Portion Schokoflakes (50 g) mit Vollmilch (200 g) und 1 EL Kakao (10 g)	36 g
1 Portion Cornflakes (30 g) mit fettarmer Milch (125 ml)	9 g
1 Glas Orangenlimonade (200 ml)	20 g
1 Glas Eistee Zitrone (200 ml)	18 g
1 Liter Cola	108 g
1 Trinkpäckchen Orangengetränk (200 ml)	23 g
1 Trinkpäckchen Orangensaft (200 ml)	18 g
1 Fläschchen Jogurt-Drink (100 ml)	17 g
1 Trinkpäckchen Schoko- oder Bananenmilch (200 ml)	20 g
1 Scheibe Brot mit Nussnougatcreme	12 g
1 Töpfchen Kinderjogurt (50 g)	8 g
1 Becher Fruchtmus, gezuckert (100 g)	19 g
1 Becher Quarkspeise (100 g)	14 g
1 Kugel Fruchteis	15 g
1 Waffeltüte	15 g
1 Tüte Gummibärchen (200 g)	100 g
1 Milchsnack (30 g)	9 g
1 Tafel Vollmilchschokolade (100 g)	60 g
3 EL Ketchup (60 g)	15 g

∗ entnehmen Tabellen Daten und ziehen sie zur Beantwortung von Fragen heran

Versteckten Zucker finden 2

Tafelbild:

Gummibärchen

Menge	Zucker
200 g	100 g
100 g	50 g

(:2)

Milchsnack

Menge	Zucker
30 g	9 g
300 g	90 g
100 g	30 g

(·10, :3)

Sprechblase: 30 g enthalten 9 g Zucker, 300 g enthalten 90 g Zucker. Dann enthalten 100 g Milchsnack 30 g Zucker.

1 Um den Zuckergehalt von Lebensmitteln gut vergleichen zu können, ist es sinnvoll, immer zu berechnen, wie viel Zucker in 100 g oder in 100 ml des Lebensmittels steckt. Im Internet kannst du nach dem Begriff „Zuckergehalt" suchen.

a) Bestimme für einige Lebensmittel den Zuckergehalt pro 100 g oder pro 100 ml. Manchmal musst du runden.

b) Ein Stück Würfelzucker wiegt 3 g. Bestimme für deine Lebensmittel in a), wie viel Stück Würfelzucker jeweils in 100 g oder in 100 ml enthalten sind.

Seite 17 Aufgabe 1
a) ...

2 Bringe gemeinsam mit anderen Kindern leere Lebensmittelverpackungen von zu Hause mit.
Ihr könnt die enthaltene Zuckermenge auf ein Schild schreiben und vielleicht die entsprechende Anzahl von Zuckerwürfeln in kleine Tütchen abgefüllt dazulegen.
Es entsteht sicherlich eine eindrucksvolle Ausstellung.

3 Stelle Fragen oder Rätselbilder zusammen und erfinde ein Quizspiel.

Beispiele: Was enthält mehr Zucker:
ein großes Glas Cola ($\frac{1}{2}$ l)
oder drei Kugeln Fruchteis?

Wie viel Gramm Zucker enthalten
ein Glas Orangenlimonade und
ein Kinderjogurt zusammen?

★ sammeln und vergleichen Daten aus ihrer unmittelbaren Lebenswelt und stellen sie strukturiert dar
★ erfinden zu einer vorgegebenen Problemstellung eigene Aufgaben
★ entwickeln und nutzen geeignete Darstellungsformen für das Bearbeiten mathematischer Probleme

Papierverbrauch und Altpapierverwertung betrachten 1

1 Im Jahr 2010 lag der Verbrauch von Papier, Pappe und Karton in Deutschland bei etwa 243 kg pro Einwohner. Das ist eine Gesamtmenge von ungefähr 20 Millionen Tonnen (1 Tonne = 1 000 kg). Von 100 kg Papier wurden 78 kg wieder gesammelt (Altpapier-Rücklaufquote). Leider konnte von dieser Menge nicht alles wiederverwertet werden. Von 100 kg gesammelten Produkten aus Papier/Pappe waren 82 kg Produkte, die bereits früher aus Altpapier hergestellt wurden, sie wurden also noch einmal verwertet (Altpapier-Verwertungsquote).
Bestimme den Papierverbrauch für deine Klasse, für deine Familie oder für die Einwohner deiner Gemeinde/Stadt.

2 Sieh dir die Tabelle und das Schaubild gemeinsam mit einem anderen Kind an. Stellt euch gegenseitig Fragen und beantwortet sie.

Papiererzeugung, Papierverbrauch und Altpapierverbauch		1990	2000	2005	2007	2009	2010	2014
Papiererzeugung im Inland	in 1 000 t	12 773	18 182	21 679	23 317	20 956	23 020	22 535
Einfuhr	in 1 000 t	6 931	9 818	10 131	11 795	9 977	10 997	10 996
Ausfuhr	in 1 000 t	4 243	8 907	12 634	14 241	12 426	14 265	13 149
Papierverbrauch im Inland	in 1 000 t	15 461	19 093	19 176	20 871	18 507	19 934	20 382
Altpapierrücklaufquote	von 100 kg	44	72	79	75	83	78	74
Altpapiereinsatzquote	in 100 kg	49	60	67	68	71	71	74
Altpapierverwertungsquote	von 100 kg	40	58	75	76	80	82	82

Quelle: Verband Deutscher Papierfabriken e. V. *(Angaben in kg hier gerundet)*

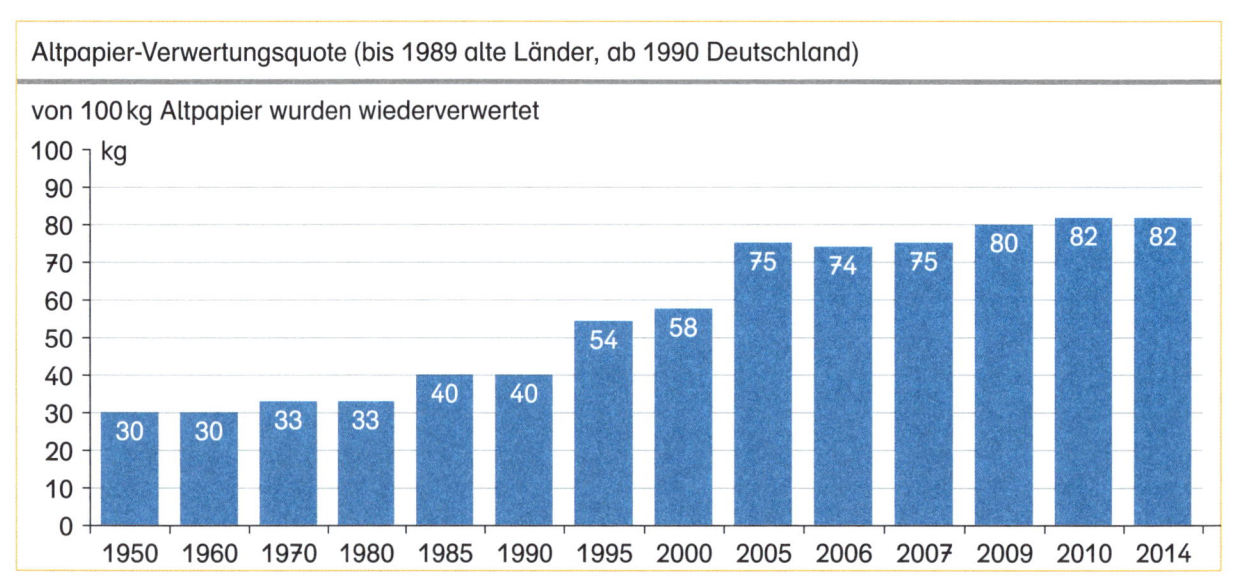

Altpapier-Verwertungsquote (bis 1989 alte Länder, ab 1990 Deutschland)

von 100 kg Altpapier wurden wiederverwertet

Jahr	1950	1960	1970	1980	1985	1990	1995	2000	2005	2006	2007	2009	2010	2014
kg	30	30	33	33	40	40	54	58	75	74	75	80	82	82

Quelle: Verband Deutscher Papierfabriken e. V. *(Angaben in kg hier gerundet)*

★ entnehmen verschiedenen Darstellungen relevante Informationen und formulieren dazu mathematische Fragestellungen
★ nutzen bei mehrschrittigen Sachaufgaben ihre Einsicht in Zusammenhänge und übertragen diese auf einzelne Lösungsschritte

Papierverbrauch und Altpapierverwertung betrachten 2

1 Wie viel Papier verbrauchst du?

a) Bestimme mit einer Küchenwaage oder Briefwaage das Gewicht von Erzeugnissen aus Papier, mit denen du täglich umgehst: Heft, Tageszeitung, Fernsehzeitung, Schulbücher, Einstern-Themenheft, Toilettenpapier …

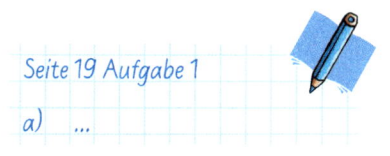

Seite 19 Aufgabe 1
a) …

b) Überlege, wie viele dieser Erzeugnisse du im Jahr etwa benötigst.
Nun kannst du in etwa deinen Papierverbrauch bestimmen.
Eine Tabelle kann dir bei der übersichtlichen Darstellung helfen.

c) Du kannst gemeinsam mit einem anderen Kind eine Befragung in der Klasse durchführen und versuchen, den Papierverbrauch der gesamten Klasse zu bestimmen.

d) Wenn du möchtest, kannst du deine Ergebnisse der Aufgaben b) und c) auf einem Plakat präsentieren.

2 100 kg Papier wurden in Deutschland etwa so verwendet (1 mm Balkenlänge entspricht 1 kg Papier):

| 1 | 2 | 3 | 4 |

1 Druck- und Zeitungspapier
2 Verpackungsmaterial (Karton/Pappe)
3 Spezialpapiere
4 Hygienepapier (Toilettenpapier, Taschentücher …)

Bestimme mithilfe der Balkenlänge, wie viel Papier für Druck- und Zeitungspapier, Verpackungen … verwendet wurde.

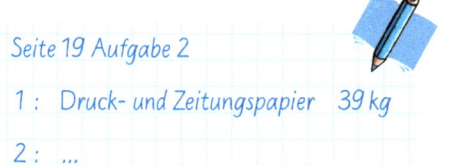

Seite 19 Aufgabe 2
1: Druck- und Zeitungspapier 39 kg
2: …

3 Weitere Informationen findest du im Internet.
Du kannst auf der Internetseite deines Wohnortes suchen.
Außerdem hat jedes Bundesland ein Statistisches Landesamt. Dort gibt es auch Daten zum Umweltschutz und zur Abfallbeseitigung.
Stelle mit anderen Kindern interessante Informationen zusammen. Gestaltet damit ein Plakat für die Klasse.

★ sammeln und vergleichen Daten aus ihrer unmittelbaren Lebenswelt und stellen sie strukturiert dar
★ entnehmen relevante Daten aus verschiedenen Quellen und verschiedenen Darstellungsformen

Einen Wandertag planen 1

1 Die Klasse 4b plant einen Wandertag. Dazu wurden Ziele an die Tafel geschrieben. Jedes Kind hat sich für ein Ziel entschieden.

Tierpark	Planetarium	Eichenberg	Waldsee
IIII III	IIII	IIII	IIII IIII

a) Wie viele Kinder haben abgestimmt?

b) Wie viele Kinder haben sich für welches Ziel entschieden?

c) Für welches Ziel haben sich die meisten Kinder entschieden?

Seite 20 Aufgabe 1
a) ...

2 Die Kinder der Klasse 4b haben auch darüber abgestimmt, mit welchem Verkehrsmittel sie zum Ziel kommen wollen.

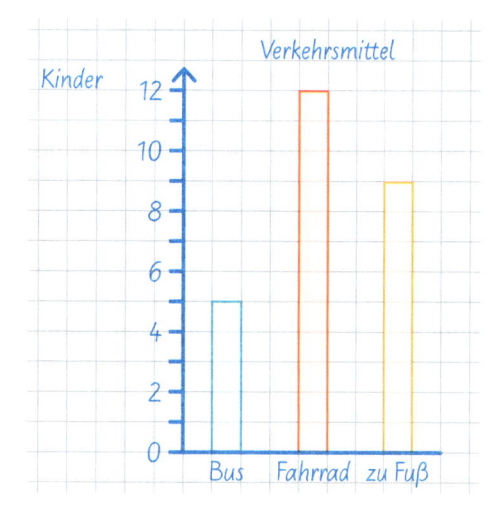

a) Werte das Säulendiagramm aus. Sprich mit einem anderen Kind darüber.

b) Zeichne ein Säulendiagramm zu der Strichliste in Aufgabe **1**.

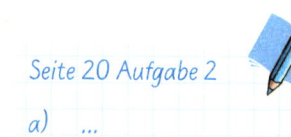

Seite 20 Aufgabe 2
a) ...

3 Plane gemeinsam mit anderen Kindern einen Wandertag für eure Klasse mit Ziel, Verkehrsmitteln und Ablauf.

Seite 20 Aufgabe 3
...

* sammeln und vergleichen Daten aus ihrer unmittelbaren Lebenswelt und stellen diese strukturiert dar
* übertragen eine Darstellung in eine andere
* wenden ihre mathematischen Kenntnisse, Fähigkeiten und Fertigkeiten bei der Bearbeitung herausfordernder Aufgaben an

Einen Wandertag planen 2

Speisekarte für unsere kleinen Gäste

Getränke:
- Apfelschorle
- Mineralwasser

Kindergerichte:
- Kinderschnitzel, Pommes frites, Salat
- Fischstäbchen, Reis, Gemüse
- Nudeln mit Gemüse

Eis:
- Jogurteis
- Schokoeis

1 Die Klasse 4b möchte auf ihrem Wandertag in der Gaststätte am Waldsee zu Mittag essen. Dort gibt es eine Speisekarte für Kinder.

a) Vervollständige die Baumdiagramme im Heft.

Seite 21 Aufgabe 1
a) ...

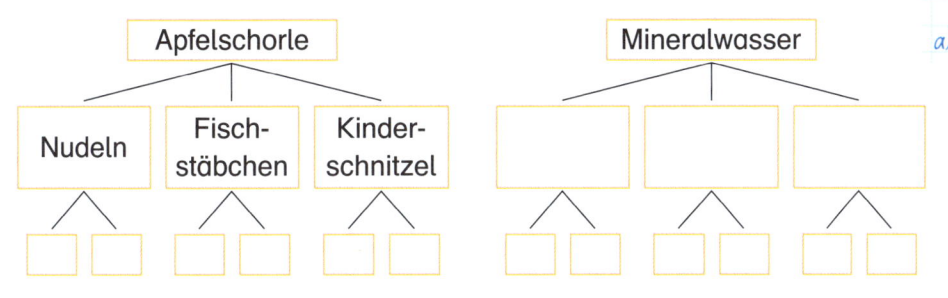

Apfelschorle → Nudeln, Fischstäbchen, Kinderschnitzel
Mineralwasser → ...

b) Schreibe einige mögliche Mittagessen auf. Was würdest du am liebsten essen?

c) Wie viele Möglichkeiten gibt es insgesamt, sich ein Essen zusammenzustellen?

2 Die Kinder der Klasse 4b überlegen auch, wie sie zum Waldsee kommen wollen.

a) Zeichne dazu ein Baumdiagramm, in dem du alle unterschiedlichen Wege direkt ablesen kannst.

Seite 21 Aufgabe 2
a) ...

b) Sprich mit einem anderen Kind darüber.

(Karte: Schule, Bahnhof, Rathaus, Eichenberg, Kaltes Tal, Sportplatz, Waldsee)

3 Plane gemeinsam mit anderen Kindern den Weg und das Essen für euren Wandertag.

Seite 21 Aufgabe 3
...

→ AH Seite 70

★ bestimmen die Anzahl der verschiedenen Möglichkeiten bei einfachen kombinatorischen Aufgaben
★ entwickeln, nutzen, bewerten geeignete Darstellungsformen für das Bearbeiten mathematischer Probleme
★ wenden mathematische Kenntnisse, Fähigkeiten, Fertigkeiten bei der Bearbeitung herausfordernder Aufgaben an

Durchschnittliche Klassengrößen bestimmen

In jeder Grundschulklasse sitzen durchschnittlich 23 Schüler

Lea möchte die durchschnittliche Anzahl der Kinder in einer Klasse ihrer Schule ermitteln. Von der Sekretärin erhält sie diese Zahlen:

Klasse 1a: 22 Kinder, Klasse 1b: 24 Kinder
Klasse 2a: 24 Kinder, Klasse 2b: 26 Kinder
Klasse 3a: 28 Kinder, Klasse 3b: 26 Kinder
Klasse 4a: 22 Kinder, Klasse 4b: 23 Kinder,
Klasse 4c: 21 Kinder

Lea bekommt von ihren Mitschülern diese Ratschläge:

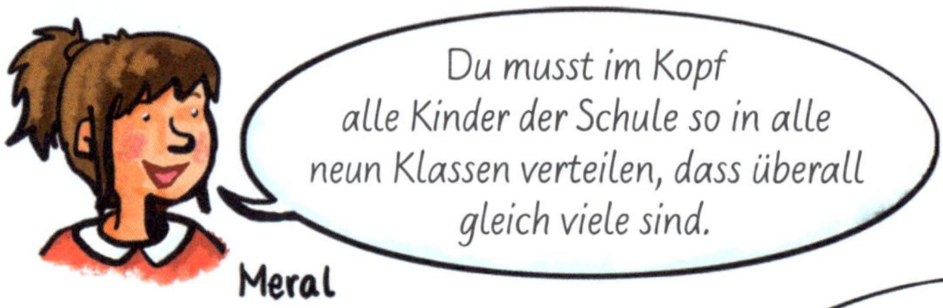

Meral: Du musst im Kopf alle Kinder der Schule so in alle neun Klassen verteilen, dass überall gleich viele sind.

Tim: Addiere doch alle Kinder der Schule und teile dann durch 9, weil es neun Klassen sind.

Die Durchschnittszahl ist eine berechnete Zahl. Sie gibt an, wie viele Kinder in eine Klasse gingen, wenn alle Kinder gleichmäßig auf alle Klassen verteilt wären.

1 Besprich die Vorschläge der Kinder mit einem anderen Kind.
   a) Besprecht, wie ihr Merals Vorschlag umsetzen könnt.
   b) Berechnet die Zahl so, wie es Tim vorschlägt.

Seite 22 Aufgabe 1
b) ...

2 Besorge dir von deiner Schule auch die Schülerzahlen der einzelnen Klassen.

Berechne die durchschnittliche Klassengröße deiner Schule so, wie Tim es vorschlägt: Addiere alle Schülerzahlen und dividiere dann durch die Anzahl der Klassen. Falls beim Teilen ein Rest bleibt (zum Beipiel 25 Rest 7), weißt du, dass in jeder Klasse durchschnittlich 25 Kinder sind und in manchen Klassen ein Kind mehr ist.

Seite 22 Aufgabe 2
...

∗ finden mathematische Lösungen zu Sachsituationen
∗ wenden automatisiert das schriftliche Divisionsverfahren an

Durchschnittswerte berechnen

Besucher der Fotoausstellung unserer Schule:
- Freitag: 215
- Samstag: 463
- Sonntag: 531

Bei der Durchschnittsberechnung musst du alle Zahlenwerte addieren. Die Summe dividierst du dann durch die Anzahl der Zahlenwerte.

```
  215        1209 : 3 = 403
  463         12
+ 531          00
  1 1           00
 1209            09
                  9
                  0
```

Es waren pro Tag durchschnittlich 403 Besucher.

1 Im Gemeindeblatt werden die Anzahl der Freibadbesucher und die Durchschnittstemperaturen der Sommermonate veröffentlicht.

Besucherzahlen
- Mai: 15 368
- Juni: 27 415
- Juli: 33 160
- August: 54 381
- September: 15 411

Durchschnittstemperatur (Balkendiagramm: Mai, Juni, Juli, August, September)

a) Wie viele Besucher kamen durchschnittlich pro Monat?

b) Lies die Durchschnittstemperaturen der einzelnen Monate ab und berechne die Durchschnittstemperatur der gesamten Freibadsaison (Mai bis September).

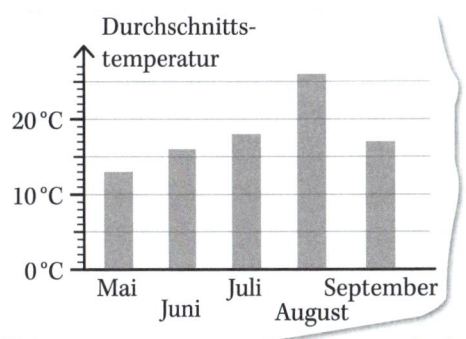

Seite 23 Aufgabe 1
a) ...

c) Das Schwimmer-Becken im Freibad ist 50 m lang und 25 m breit. Wie viele Menschen können darin gleichzeitig schwimmen? Besprich mit einem anderen Kind, wie du zu einem Ergebnis kommen kannst.

2 Berechne für vier Kinder deiner Wahl diese Durchschnittswerte. Dabei benötigst du die Angaben von jedem Kind.

a) die durchschnittliche Körpergröße eines Kindes in cm

b) die durchschnittliche Schuhgröße

c) die durchschnittliche Fernsehzeit von gestern in Minuten

d) Finde weitere interessante Durchschnittswerte und besprich diese mit einem anderen Kind.

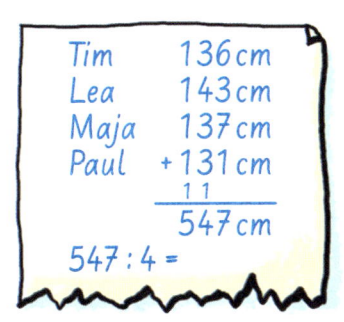

```
Tim     136 cm
Lea     143 cm
Maja    137 cm
Paul  + 131 cm
         1 1
        547 cm

547 : 4 =
```

Seite 23 Aufgabe 2
a) ...

→ AH Seite 71
→ Ü Seite 56

* erfassen Zusammenhänge in unterschiedlich dargestellten Sachsituationen
* erschließen sich und berechnen aus verschiedenen Quellen auch Daten, die nicht direkt ablesbar sind
* wenden das schriftliche Divisionsverfahren an

Wegstrecken und Entfernungen bestimmen

1 Löse die Aufgaben. Skizzen helfen dir dabei.

a) Eine Treppe hat 15 Stufen. Lea läuft immer mit einem großen Schritt drei Stufen auf einmal nach oben und dann wieder mit einem großen Schritt zwei Stufen auf einmal nach unten.

Wie viele Stufen hat Lea insgesamt betreten, bis sie oben ankommt?

Seite 24 Aufgabe 1
a) ...

b) Ein Wanderer berichtet über die zurückgelegte Strecke: „Noch 12 km, dann wäre die Hälfte meiner zurückgelegten Strecke 18 km lang gewesen."

Welche Strecke hat der Wanderer bereits zurückgelegt?

c) Zwei Städte sind 110 km voneinander entfernt. Zur gleichen Zeit startet in jeder Stadt ein Radfahrer. Die beiden fahren sich entgegen. Der eine Radfahrer fährt pro Stunde 2 km mehr als der andere. Nach fünf Stunden treffen sich die beiden.

Wie viele Kilometer ist jeder von ihnen pro Stunde gefahren?

d) Eine Schnecke will eine Mauer hochkriechen, die 9 m hoch ist. Jeden Tag schafft sie 3 m nach oben. In der Nacht rutscht sie immer wieder 1 m nach unten.

Am wievielten Tag kommt die Schnecke oben auf der Mauer an?

e) Zwei Schnecken kriechen in die gleiche Richtung los. Die erste Schnecke startet zehn Minuten vor der zweiten Schnecke. Die erste Schnecke benötigt fünf Minuten, um 40 cm zurückzulegen. Die zweite Schnecke legt in zehn Minuten 160 cm Strecke zurück.

Nach wie vielen Minuten hat die zweite Schnecke die erste Schnecke eingeholt?

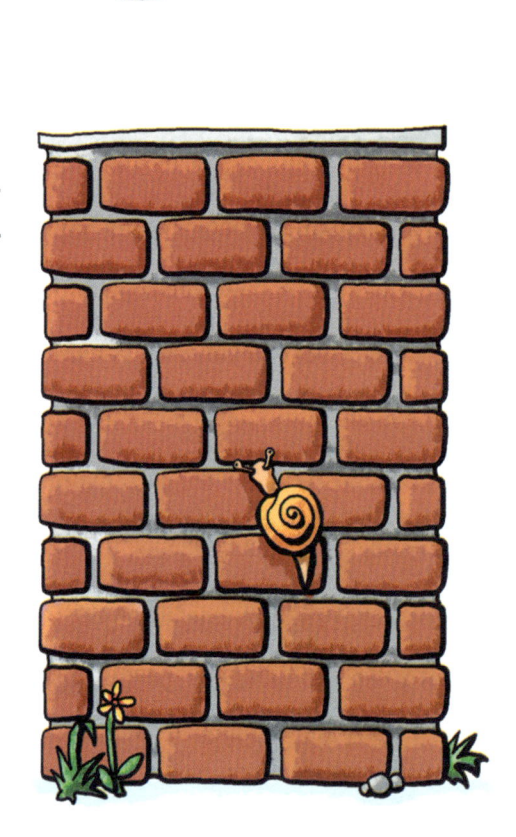

* entnehmen Darstellungen der Lebenswirklichkeit relevante Informationen und übersetzen diese in die Sprache der Mathematik
* berechnen Zeitspannen und Wegstrecken

Altersangaben berechnen

1 Berechne jeweils das Alter. Vergleiche dein Vorgehen mit dem Vorgehen anderer Kinder.

a) Vater, Mutter und Ole sind zusammen 80 Jahre alt. Der Vater ist viermal so alt wie Ole, die Mutter ist dreimal so alt wie ihr Sohn.

Wie alt sind die Eltern? Wie alt ist Ole?

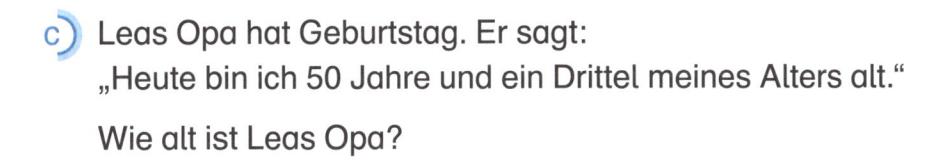

b) Alex und sein Vater sind zusammen 63 Jahre alt. Der Vater ist sechsmal so alt wie Alex.

Wie alt ist der Vater, wie alt ist Alex?

c) Leas Opa hat Geburtstag. Er sagt: „Heute bin ich 50 Jahre und ein Drittel meines Alters alt."

Wie alt ist Leas Opa?

d) Herr Berger und Frau Schneider sind zusammen 108 Jahre alt. Frau Schneider ist 12 Jahre jünger als Herr Berger.

Wie alt ist Frau Schneider?

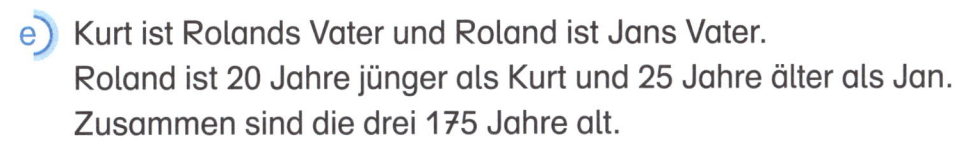

e) Kurt ist Rolands Vater und Roland ist Jans Vater. Roland ist 20 Jahre jünger als Kurt und 25 Jahre älter als Jan. Zusammen sind die drei 175 Jahre alt.

Wie alt sind Kurt, Roland und Jan?

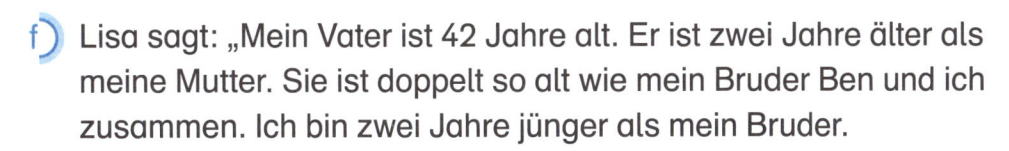

f) Lisa sagt: „Mein Vater ist 42 Jahre alt. Er ist zwei Jahre älter als meine Mutter. Sie ist doppelt so alt wie mein Bruder Ben und ich zusammen. Ich bin zwei Jahre jünger als mein Bruder.

Wie alt bin ich, wie alt ist mein Bruder und wie alt ist meine Mutter?"

g) Schreibe eine Rechengeschichte zu deiner Familie.

Bitte anschließend ein anderes Kind, das Alter deiner Familienmitglieder zu bestimmen.

Seite 25 Aufgabe 1

a) ...

* erkennen bei komplexen Sachsituationen Zusammenhänge und übertragen diese auf mehrschrittige Lösungswege
* finden zu einer vorgegebenen Sachsituation Beispiele aus der eigenen Lebenswirklichkeit und übertragen diese in erweiterte Aufgabenstellungen

Rechnen und denken wie berühmte Mathematiker 1

Adam Ries (1492–1559) war ein berühmter deutscher Rechenmeister. Er gründete eine eigene Rechenschule und verfasste viele Rechenbücher, die eine Verbreitung der Rechenkunst in der Bevölkerung bewirkten.

Er entwickelte auch das folgende Verfahren, um mit der Quersummenrechnung Ergebnisse zu überprüfen:

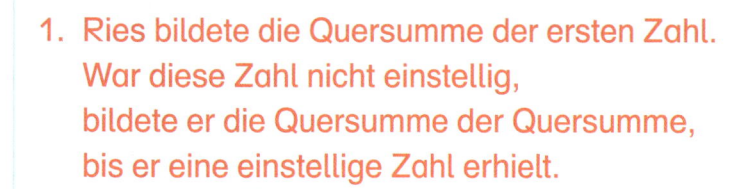

Rechnung: 3624 · 38 = 137712

Probe:
```
   3
 6 X 2
   3
```

1. Ries bildete die Quersumme der ersten Zahl. War diese Zahl nicht einstellig, bildete er die Quersumme der Quersumme, bis er eine einstellige Zahl erhielt.

   3 + 6 + 2 + 4 = 15
   1 + 5 = 6

2. Das Gleiche tat er mit der zweiten Zahl.

   3 + 8 = 11
   1 + 1 = 2

3. Er multiplizierte die beiden Quersummen und bildete wieder die Quersumme des Ergebnisses.

   6 · 2 = 12
   1 + 2 = 3

4. Er verglich diese berechnete Quersumme mit der Quersumme der Ergebniszahl der Aufgabe.

   1 + 3 + 7 + 7 + 1 + 2 = 21
   1 + 2 = 3

Sind beide Quersummen gleich, ist das Ergebnis der Aufgabe meist richtig.

1 Berechne jeweils das Ergebnis und überprüfe es wie Adam Ries.

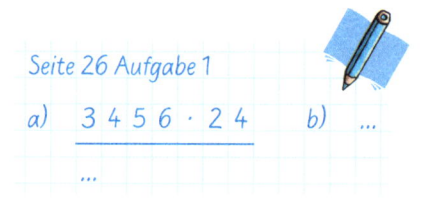

a) 3456 · 24 =
   2254 · 75 =

b) 5718 · 63 =
   1348 · 39 =

Seite 26 Aufgabe 1
a) 3 4 5 6 · 2 4   b) ...
    ...

2 Überprüfe die Aufgaben nach der Methode von Adam Ries. Berechne falsche Aufgaben noch einmal.

a) 6125 · 39 = 238875
   1836 · 48 = 88148

b) 5146 · 61 = 313954
   4862 · 52 = 252824

Seite 26 Aufgabe 2
a) ...

★ lösen Aufgaben im Zahlenraum bis zur Million
★ wenden die Methode von Adam Ries bei der Überprüfung von Ergebnissen an

Rechnen und denken wie berühmte Mathematiker 2

1 Karl Friedrich Gauß (1777–1855) war ein berühmter deutscher Mathematiker. Von ihm wird berichtet, dass er früher rechnen als sprechen konnte.

Als einmal sein Lehrer den Kindern die Aufgabe stellte, die Zahlen von 1 bis 100 zu addieren, glaubte er seine Klasse gut beschäftigt. Alle Kinder schrieben und schrieben. Der kleine Gauß jedoch legte dem Lehrer bereits nach wenigen Minuten das Ergebnis vor: 5050.

$1 + 2 + 3 + 4 + \ldots + 96 + 97 + 98 + 99 + 100 =$ ◻

a) Überlege, wie der kleine Gauß so schnell das Ergebnis bestimmen konnte. Notiere deinen Weg.

Seite 27 Aufgabe 1
a) …

Tipp: Gauß bemerkte, dass die erste und die letzte Zahl (1 + 100), die zweite und die vorletzte Zahl (2 + 99) usw. zusammen immer 101 ergeben.

b) Berechne ebenso …

… die Summe der Zahlen von 1 bis 20.

… die Summe der Zahlen von 1 bis 1000.

2 Albert Einstein (1879–1955) war ein auf der ganzen Welt berühmter Wissenschaftler. 1921 wurde ihm der Nobelpreis für Physik verliehen. Sein Hauptwerk ist die „Relativitätstheorie".

In einer Zeitung veröffentlichte er immer wieder Knobelaufgaben für die Leser. Eine davon ist folgende:

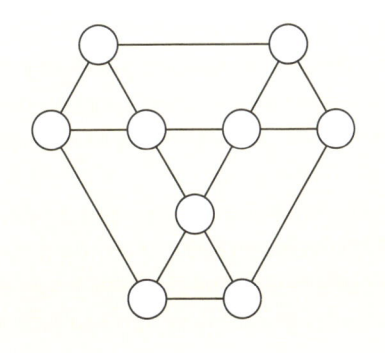

Die neun Kreise sind Eckpunkte von vier kleinen und drei großen Dreiecken. Die Zahlen von 1 bis 9 sollen so in die Kreise eingetragen werden, dass die Summe der Eckpunkte in jedem der sieben Dreiecke gleich ist.

Probiere, die Einstein-Knobelaufgabe zu lösen.

Tipp: Lege mit Ziffernkärtchen, dann kannst du immer wieder neu probieren.

Seite 27 Aufgabe 2

* wenden ihre mathematischen Kenntnisse, Fähigkeiten und Fertigkeiten bei der Bearbeitung herausfordernder und unbekannter Aufgaben an
* entwickeln und nutzen Lösungsstrategien

Multiplizieren mit der Gittermethode

Im 16. Jahrhundert lösten Rechenmeister Multiplikationsaufgaben mit Malstreifen. Diese wurden von dem schottischen Mathematiker John Neper erfunden, daher ihr Name „Nepersche Streifen". Eine Abbildung dieser Streifen siehst du rechts. Aus ihnen ist die Gittermethode entstanden.

Einer und Zehner werden durch eine schräge Linie getrennt notiert. Durch Addition entlang der Diagonalen ergibt sich das Ergebnis.

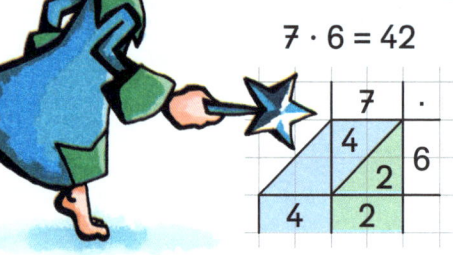

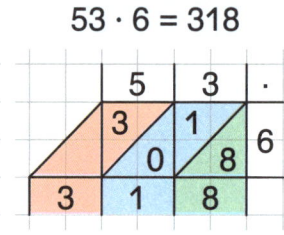

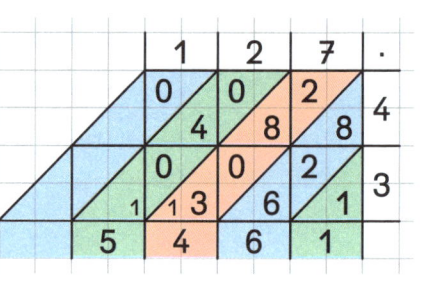

7 · 6 = 42

53 · 6 = 318

127 · 43 = 5461

1 Lies Aufgabe und Ergebnis ab.

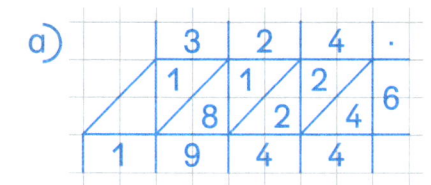

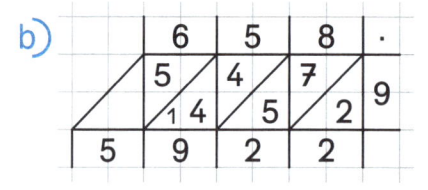

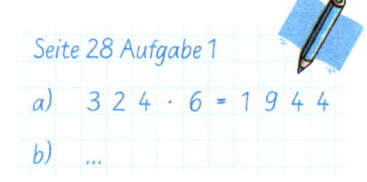

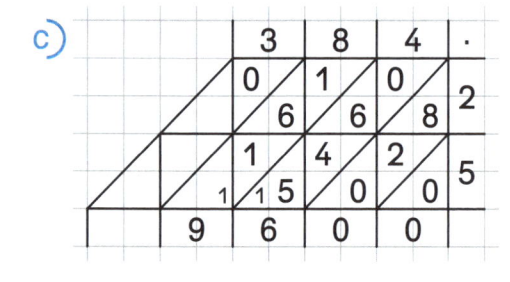

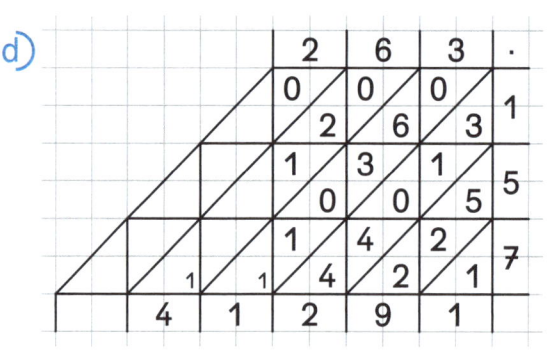

a) 324 · 6
b) 658 · 9
c) 384 · 25
d) 263 · ...

Seite 28 Aufgabe 1
a) 324 · 6 = 1944
b) ...

2 Löse die Aufgaben mit der Gittermethode.

a) 83 · 7   b) 36 · 5   c) 42 · 61
d) 25 · 63   e) 217 · 326 f) 537 · 218

Seite 28 Aufgabe 2
a) ...

3 Vergleiche gemeinsam mit einem anderen Kind die Gittermethode mit unserem Verfahren der schriftlichen Multiplikation. Welche Gemeinsamkeiten und welche Unterschiede entdeckt ihr?

* entnehmen einer Problemstellung relevante Informationen
* übertragen bekannte Vorgehensweisen auf ein verändertes Modell

Ein ägyptisches Rechenverfahren kennenlernen

Vor etwa 4000 Jahren lösten ägyptische Mathematiker Multiplikationsaufgaben über Verdopplung und Addition. Mit unseren Zahlzeichen dargestellt, sah das so aus:

8 · 27	11 · 27	17 · 27
1 27	1 27	1 27
2 54	2 54	2 54
4 108	4 108	4 108
8 216	8 216	8 216
	297	16 432
		459

8 · 27 = 216   11 · 27 = 297   17 · 27 = 459

1 Beschreibe einem anderen Kind, wie die ägyptischen Mathematiker Multiplikationsaufgaben lösten.

2 Rechne wie die ägyptischen Mathematiker.
a) 8 · 125   b) 16 · 18   c) 6 · 35
d) 15 · 241   e) 9 · 1560   f) 18 · 3240

Seite 29 Aufgabe 2
a) 8 · 125   b) ...
   1   125
   2   250
   ⋮

3 Setze die Einmaleinsreihe mit den passenden Zerlegungen fort.

Kann man wirklich alle Aufgaben so lösen?

Seite 29 Aufgabe 3
9 · 27 = 8 · 27 + 1 · 27
10 · 27 = ...
⋮

☐ · 27
1   27
2   54
4   108
8   216
16   432
...

3 · 27 = 2 · 27 + 1 · 27
5 · 27 = 4 · 27 + 1 · 27
6 · 27 = 4 · 27 + 2 · 27
7 · 27 = 4 · 27 + 2 · 27 + 1 · 27

4 Gibt es Aufgaben, die du beim Kopfrechnen ähnlich löst? Schreibe sie auf.

Seite 29 Aufgabe 4
...

*nutzen, erklären und bewerten Rechenwege

Magische Quadrate kennenlernen

(1)
8	3	4
1	5	9
6	7	2

(2)
8	3	4
1	5	9
6	7	2

(3)
8	3	4
1	5	9
6	7	2

Die magische Zahl von diesem magischen Quadrat ist 15.

Bei magischen Quadraten ist die Summe der Zahlen in jeder Zeile (1), in jeder Spalte (2) und in jeder Diagonalen (3) gleich. Diese Summe heißt magische Zahl. In einem magischen Quadrat kommt jede Zahl nur einmal vor.

1 Finde jeweils die magische Zahl dieser Quadrate. Überprüfe Zeilen, Spalten und Diagonalen.

a)
9	14	7
8	10	12
13	6	11

b)
24	29	22
23	25	27
28	21	26

c)
16	5	9	4
2	11	7	14
3	10	6	15
13	8	12	1

Seite 30 Aufgabe 1
a) ...

2 Diese magischen Quadrate sind fehlerhaft. Finde die Zahl, die nicht passt. Überlege, durch welche Zahl sie ersetzt werden muss.

a)
5	10	3
4	6	8
9	2	12

b)
14	17	12	7
11	8	13	2
5	10	3	16
4	15	6	9

c)
24	11	22	17
21	18	23	12
15	27	13	26
14	25	16	19

Seite 30 Aufgabe 2
a) ... / ...

3 Übertrage die Zahlenquadrate in dein Heft. Ergänze Zahlen so, dass magische Quadrate entstehen. Bestimme jeweils die magische Zahl.

a)
6		
7		
2	9	

b)
12		14
	15	
16		

c)
65	10	15	
40	55		25
60			
5		75	20

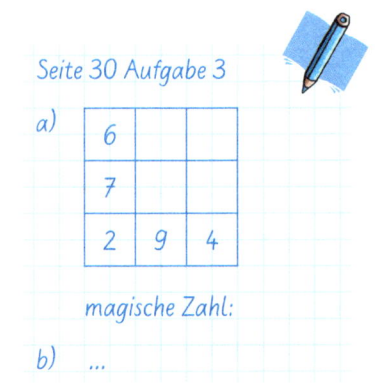

Seite 30 Aufgabe 3

a)
6		
	7	
2	9	4

magische Zahl:

b) ...

Mit magischen Quadraten experimentieren

1 Übertrage die Quadrate in dein Heft. Ergänze Zahlen so, dass jeweils magische Quadrate entstehen.

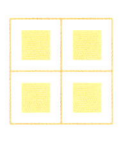

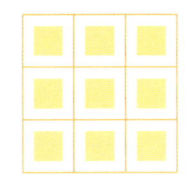

Seite 31 Aufgabe 1

2 Übertrage das Zahlenquadrat mindestens viermal in dein Heft. Trage die Zahlen 1, 2, 3, 4, 6, 7, 8 und 9 so ein, dass unterschiedliche magische Quadrate entstehen.
Beschreibe einem anderen Kind, wie du vorgegangen bist.

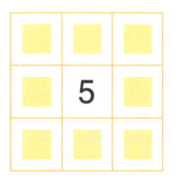

Seite 31 Aufgabe 2
...

3 Verändere dieses magische Quadrat.

6	7	2
1	5	9
8	3	4

Aus einem magischen Quadrat andere herstellen?

a) Notiere die magische Zahl.

b) Erstelle drei neue Zahlenquadrate.
Verändere dazu die Zahlen des Quadrats von oben:
1. Quadrat: Verdopple jede Zahl.
2. Quadrat: Multipliziere jede Zahl mit 3.
3. Quadrat: Addiere zu jeder Zahl 13.

Seite 31 Aufgabe 3
a) ...
b)

12	14	
	2	

c) Untersuche die neu entstandenen Zahlenquadrate. Prüfe, ob es magische Quadrate sind. Wenn ja, notiere die magischen Zahlen.
Vergleiche sie mit der magischen Zahl des vorgegebenen magischen Quadrates oben.
Besprich mit einem anderen Kind, was dir auffällt.

c) ...

d) Überlegt gemeinsam, wie man die Zahlen außerdem verändern kann.

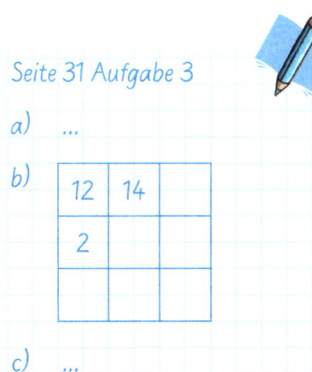

*wenden ihre mathematischen Kenntnisse, Fähigkeiten und Fertigkeiten bei der Bearbeitung herausfordernder Aufgaben an

Ein bekanntes magisches Quadrat untersuchen

16	3	2	13
5	10	11	8
9	6	7	12
4	15	14	1

Albrecht Dürer (1471–1528) war ein bedeutender Maler und Kupferstecher. In seinem Kupferstich „Melencolia" ist ein magisches Quadrat enthalten.

Addiert man die vier Eckfelder, entsteht auch die magische Zahl.

1

16	3	2	13
5	10	11	8
9	6	7	12
4	15	14	1

Dürers magisches Quadrat ist ein ganz besonderes.

a) Wie heißt die magische Zahl?

b) Die magische Zahl entsteht nicht nur in den Zeilen, Spalten und Diagonalen, sondern auch durch Addition anderer Zahlenfelder. Finde möglichst viele Beispiele und zeichne wie Einstern die Strukturen als Muster.
Wie viele findest du?

Seite 32 Aufgabe 1
a) ...

2

80	15	10	65
25	50	55	40
45	30	35	60
20	75	70	5

Untersuche dieses magische Quadrat wie in Aufgabe 1.
Vergleiche die Strukturen mit denen, die du in Aufgabe 1 b) gefunden hast.

Seite 32 Aufgabe 2
...

3 Verändere die Zahlen von Dürers magischem Quadrat. Du kannst alle Zahlen verdoppeln oder alle Zahlen mit der gleichen Zahl multiplizieren oder …
Erstelle die Quadrate mit den veränderten Zahlen.

a) Untersuche, wie sich die magische Zahl verändert hat.

b) Untersuche, ob sich die Strukturen verändert haben.

Seite 32 Aufgabe 3
...

* wenden ihre mathematischen Kenntnisse, Fähigkeiten und Fertigkeiten bei der Bearbeitung herausfordernder und unbekannter Aufgaben an
* entdecken mathematische Muster und Beziehungen und verändern sie systematisch

Zahlenfolgen erkennen und fortsetzen

1 Setze die Zahlenfolgen fort. Nach welchen Regeln werden die Folgen gebildet? Ermittle jeweils die Anzahl der Punkte bei der 10. Figur.
Du kannst zeichnen oder rechnen.

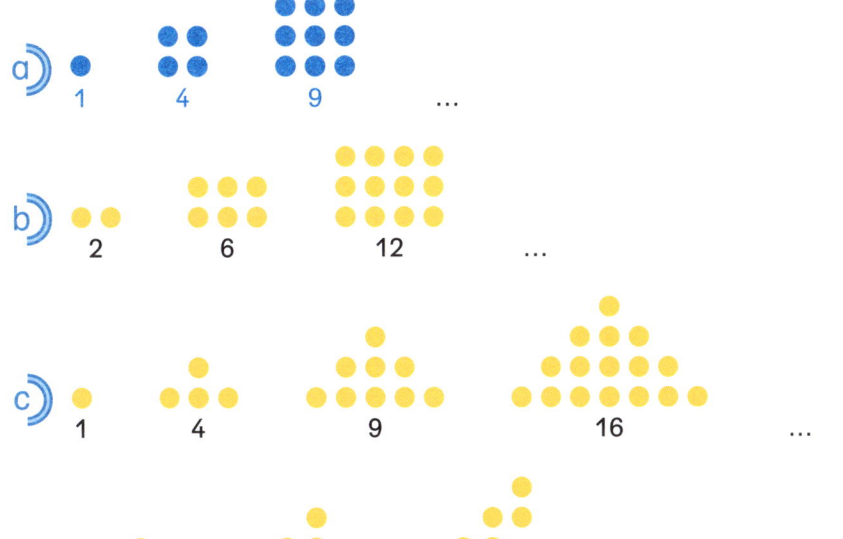

a) 1, 4, 9, ...

b) 2, 6, 12, ...

c) 1, 4, 9, 16, ...

d) 5, 7, 9, ...

Seite 33 Aufgabe 1

a) 1, 4, 9, 16, 25, ...

Regel: 1. Zahl: 1 · 1
2. Zahl: 2 · 2
3. Zahl: 3 · 3
⋮
10. Zahl: ...

b) ...

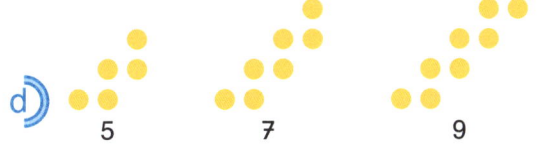

2 Die Weizenkornlegende

Vor vielen, vielen Jahren erfand ein kluger Mann in Indien das Schachspiel. Der König war so begeistert, dass er ihm für seine Erfindung einen Wunsch gewährte. Der Mann sagte: „Ich möchte nichts weiter als Weizenkörner für jedes der 64 Felder des Schachbrettes. Gib mir für das erste Feld ein Weizenkorn, für das zweite Feld doppelt so viele Körner wie für das erste, für das dritte Feld doppelt so viele wie für das zweite und so fort, bis zum letzten der 64 Felder."

Der König hielt den Mann für einen Dummkopf, weil er in seinen Augen eine so geringe Belohnung gewählt hatte. Er versprach dem Mann, seinen Wunsch zu erfüllen.

Probiere, die Anzahl der Weizenkörner zu bestimmen, die der Mann vom König erhalten hätte.
Als Hilfe kannst du für die ersten acht Felder zuerst Punktebilder zeichnen und dann rechnen.

Seite 33 Aufgabe 2

1, 2, 4, 8, ...

Der Mann hätte 18 446 744 073 709 551 615 (etwa 18 Trillionen) Weizenkörner erhalten. Das wäre etwa 1 500-mal so viel wie die weltweite Weizenernte. Um den Weizen zu transportieren, benötigte man so viele Lastwagen, dass diese – hintereinander aufgestellt – 20 000-mal um die Erde reichten.

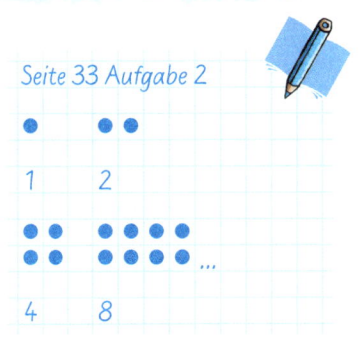

* wenden ihre mathematischen Kenntnisse, Fähigkeiten und Fertigkeiten bei der Bearbeitung herausfordernder und unbekannter Aufgaben an
* entwickeln und nutzen geeignete Darstellungsformen für das Bearbeiten mathematischer Probleme
* finden mathematische Lösungen zu Sachsituationen

Zahlenmauern untersuchen

1 Übertrage die Zahlenmauern in dein Heft und fülle sie vollständig aus.

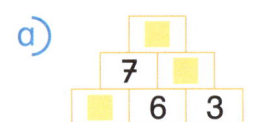

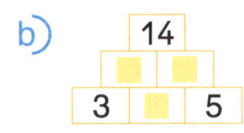

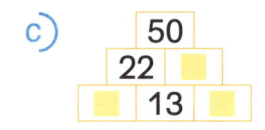

a) 7, ▢, 6, 3   b) 14, 3, ▢, 5   c) 50, 22, ▢, 13

Seite 34 Aufgabe 1 a) ...

2 Diese drei Zahlenmauern haben die gleichen Basissteine, jedoch in unterschiedlicher Anordnung.

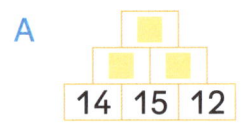

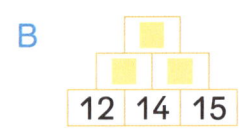

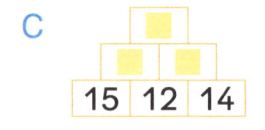

A: 14 15 12   B: 12 14 15   C: 15 12 14

Seite 34 Aufgabe 2 a) ...

a) Überlege, ohne zu rechnen, welche Mauer die höchste Zahl im Zielstein hat. Begründe deine Vermutung.

b) Überprüfe deine Vermutung. Übertrage dazu die Zahlenmauern in dein Heft und fülle sie vollständig aus.

c) Finde alle weiteren Zahlenmauern mit den gleichen Basissteinen. Welche Zahlen stehen bei diesen Zahlenmauern in den Zielsteinen?

3 Überlege, wie groß die Differenz der Zielsteine der beiden Mauern jeweils ist. Begründe deine Lösung und überprüfe sie.

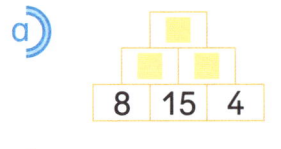

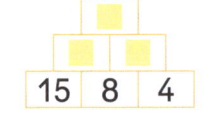

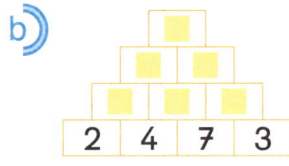

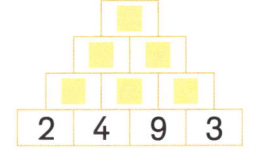

a) 8 15 4   15 8 4

b) 2 4 7 3   2 4 9 3

Seite 34 Aufgabe 3 a) ...

4 Ergänze die folgenden Aussagen durch Überlegen oder durch Ausprobieren mit selbst erfundenen Zahlenmauern.

a) Eine Zahlenmauer hat drei Basissteine. Die Zahl im Zielstein ist gerade, wenn die Zahlen der Basissteine …

b) Eine Zahlenmauer hat drei Basissteine. Die Zahl im Zielstein erhöht sich um 4, wenn …

c) Eine Zahlenmauer hat drei Basissteine. Die Zahlen in den Basissteinen werden verändert. Die Zahl im Zielstein bleibt dabei gleich, wenn …

Seite 34 Aufgabe 4 a) ...

*erkennen mathematische Zusammenhänge, entwickeln Lösungswege und begründen diese

Rechenfenster untersuchen

Das Rechenfenster:
Die Summe der Innenzahlen auf einer Seite ergibt die Zahl am Rand. 16 + 18 = 34

Rechenfenster an der Tafel: 37 oben, 49 links, 34 rechts, 46 unten; Innenzahlen 21, 16, 28, 18.

1 Übertrage die Rechenfenster in dein Heft und fülle sie vollständig aus.

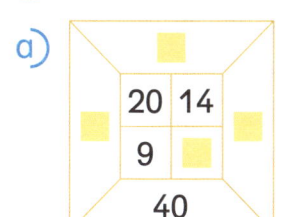

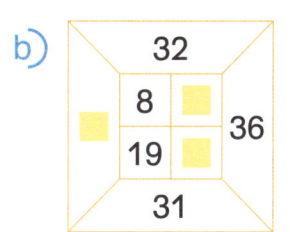

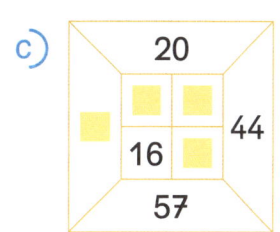

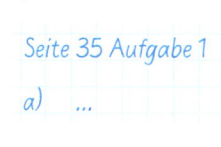

a) oben: ▢, links-innen 20, 14, 9, ▢, unten 40

b) oben 32, innen 8, ▢, 19, ▢, rechts 36, unten 31

c) oben 20, innen ▢, ▢, 16, ▢, rechts 44, unten 57

Seite 35 Aufgabe 1
a) ...

2 Betrachte bei den Rechenfenstern in Aufgabe **1** jeweils die Summe aller Innenzahlen und die Summe aller Außenzahlen. Vergleiche sie.

a) Was fällt dir auf?

b) Versuche, diesen Zusammenhang zu erklären.

Seite 35 Aufgabe 2
a) ...

3 Stelle weitere Beobachtungen zu Rechenfenstern an.

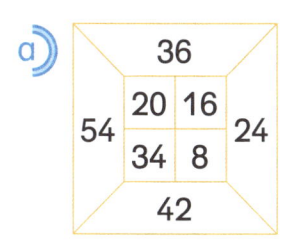

a) Rechenfenster: oben 36, links 54, rechts 24, unten 42; innen 20, 16, 34, 8.

Addiere die Innenzahlen.
Subtrahiere vom Ergebnis eine der Außenzahlen.
Was fällt dir auf?
Findest du eine Erklärung?

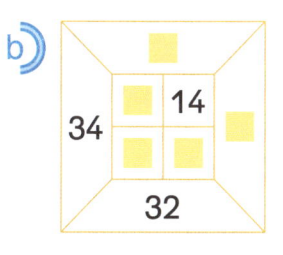

Seite 35 Aufgabe 3
a) ...

b) Rechenfenster: oben ▢, links 34, innen ▢, 14, ▢, ▢, unten 32.

Die Summe aller Außenzahlen beträgt 124.
Berechne alle fehlenden Zahlen.
Nutze deine Beobachtungen in Aufgabe **2** und Aufgabe **3** a).

→ AH Seite 72

★ erkennen mathematische Zusammenhänge, entwickeln Lösungswege und begründen diese
★ wenden ihre mathematischen Kenntnisse, Fähigkeiten und Fertigkeiten bei der Bearbeitung herausfordernder Aufgaben an

Passende Ziffern ermitteln

1 Ersetze die Zeichen so durch Ziffern, dass richtig gelöste Aufgaben entstehen. Gleiche Zeichen stehen in jeder Teilaufgabe für gleiche Ziffern.

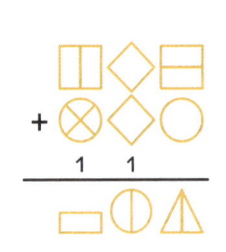

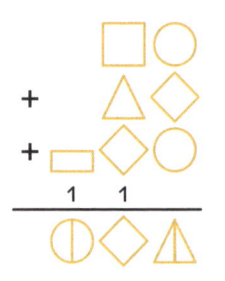

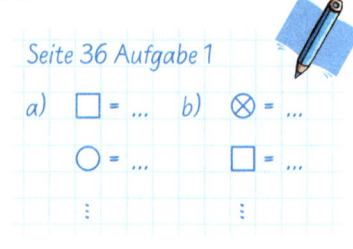

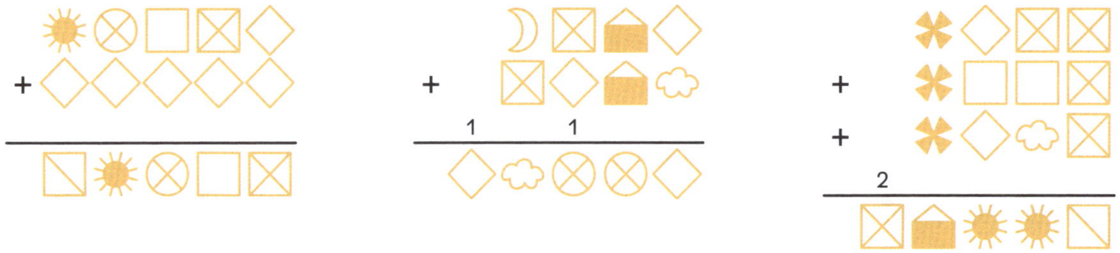

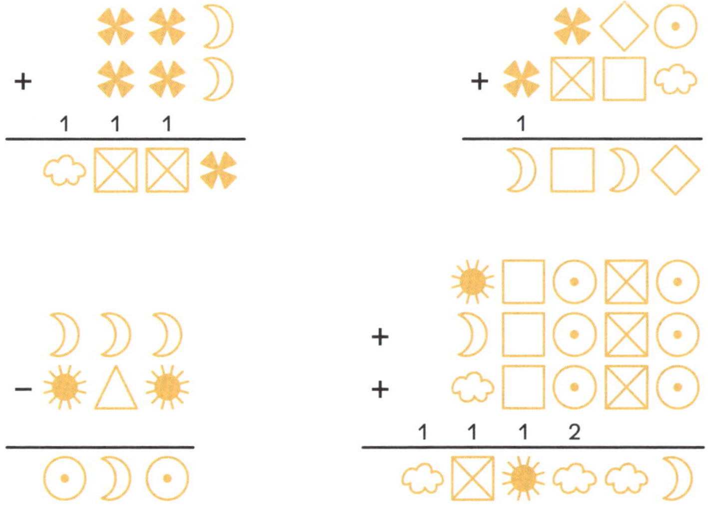

Seite 36 Aufgabe 1
a) □ = ...   b) ⊗ = ...
   ○ = ...   □ = ...

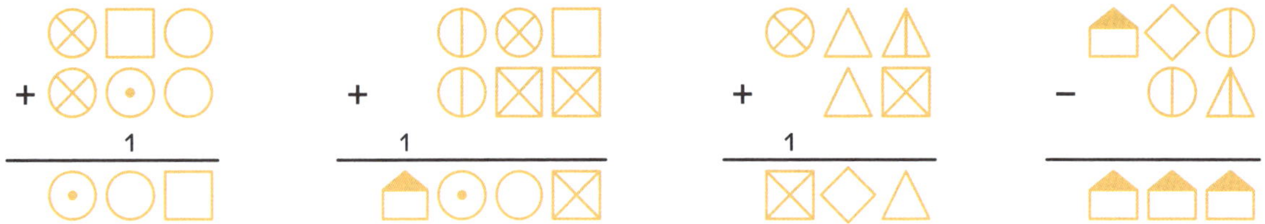

Streichholzknobeleien lösen

1 Zeichne jeweils die veränderte Figur. Du kannst die Figuren auch vorher mit Streichhölzern legen.

a) Entferne zwei Streichhölzer so, dass zwei Dreiecke übrig bleiben.

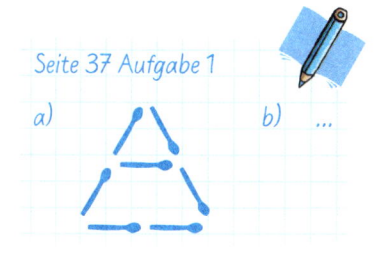

b) Entferne vier Streichhölzer so, dass zwei Dreiecke übrig bleiben.

c) Lege zwei Streichhölzer so um, dass vier Dreiecke entstehen.

d) Lege drei Streichhölzer so um, dass fünf Dreiecke entstehen.

e) Entferne drei Streichhölzer so, dass drei Dreiecke entstehen.

f) Verändere zwei Streichhölzer so, dass sechs Dreiecke entstehen.

g) Lege vier Streichhölzer so um, dass sechs Dreiecke entstehen.

h) Lege vier Streichhölzer so um, dass sechs Dreiecke entstehen.

* wenden ihre mathematischen Kenntnisse, Fähigkeiten und Fertigkeiten bei der Bearbeitung herausfordernder Aufgaben an
* probieren systematisch und zielorientiert und nutzen dabei die Einsicht in Zusammenhänge

Figuren ohne Absetzen zeichnen

1 Fahre die Figuren zunächst mit dem Finger in einem Zug nach. Zeichne sie dann in dein Heft, ohne den Stift abzusetzen und ohne Linien doppelt zu zeichnen.

a)

b)

c)

Seite 38 Aufgabe 1

*probieren systematisch und zielorientiert und nutzen die Einsicht in Zusammenhänge zur Problemlösung

Tierrätsel lösen

1 Finde bei jeder Teilaufgabe die Anzahl der unterschiedlichen Tiere. Skizzen können dir helfen.

a) Auf einem Bauernhof leben in einem Gehege Enten und Hasen. Man sieht 35 Köpfe und 94 Beine.

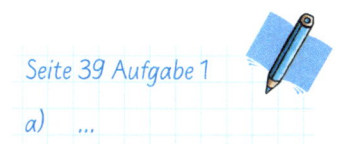

Seite 39 Aufgabe 1
a) ...

b) Der Bauer berichtet: „Auf meinem Hof leben vier verschiedene Tierarten. Zusammen sind es 104 Tiere. Die Anzahl der Schweine und Schafe ist gleich. Es gibt zwei Hühner mehr als Kühe. Es gibt ein Schwein weniger als Kühe."

c) Auf einem anderen Bauernhof gibt es zwischen 30 und 35 Tiere. Es sind fünf Pferde weniger und acht Hühner mehr als Kaninchen.

d) Ein Bauer hat Kühe und Schweine. Es sind mehr Kühe als Schweine. Die Anzahl seiner Tiere gibt er als Rätsel an.

$$\triangle + \bigcirc + \bigcirc = 72$$
$$\triangle + \triangle + \bigcirc = 60$$

* wenden ihre mathematischen Kenntnisse, Fähigkeiten und Fertigkeiten bei der Bearbeitung herausfordernder Aufgaben an
* finden und nutzen selbstständig Bearbeitungshilfen zur Lösungsfindung

Einstern verabschiedet sich

Schöne Ferien!

Schöne Ferien und viel Freude und Erfolg in der fünften Klasse!

Ich finde es praktisch, dass wir das schriftliche Rechnen gelernt haben.

Ich fand gut, dass es Wahlaufgaben gab.

2 Uhr nachts oder 14 Uhr mittags

Im 1. Schuljahr konnten wir noch nicht einmal die Uhr lesen!

Mir haben die Zahlenrätsel und die Knobelaufgaben gut gefallen.

Ich habe gerne zusammen mit anderen Kindern gearbeitet. Besonders, wenn wir etwas ausprobieren oder spielen konnten.

Ich habe mit dem Zirkel tolle Muster gezeichnet.

Ich kann jetzt römische Zahlen lesen.

CM LIX

Mir hat Geometrie am meisten Spaß gemacht.

① Zeichne in dein Lerntagebuch Sprechblasen. Schreibe darin auf, was für dich besonders war.

40   *reflektieren und präsentieren Erfahrungen aus ihrem Mathematikunterricht und tauschen sich aus